Dafydd Iwan: By

Dafydd Iwan: A life in pictures

Dafydd Iwan

Bywyd mewn lluniau   A life in pictures

Golygydd/Editor

LLION IWAN

Gomer

Argraffiad Cyntaf – 2005

ISBN 1 84323 488 2

Dymuna'r cyhoeddwyr gydnabod cymorth
Adrannau Cyngor Llyfrau Cymru.

Argraffwyd gan
Wasg Gomer, Llandysul, Ceredigion, Cymru SA44 4JL

Cyflwynaf y gyfrol hon fel arwydd o ddiolch i'm teulu am yr hwyl a'r dagrau, ac am oddef bywyd gyda rhyw drwbadŵr o ymgyrchydd a phregethwr o wleidydd a dyn busnes blêr fel fi.

I dedicate this book to my family for putting up with an absent folk-singing campaigning preaching politician and part-time businessman like me.

Dafydd Iwan

CYFLWYNIAD

Wrth baratoi'r llyfr *Cân dros Gymru*, roedd cymaint o luniau wedi eu hel nes imi feddwl y byddai'n ddifyr cyhoeddi casgliad ohonyn nhw gyda'i gilydd. Mi fues i'n byw yn llygad y cyhoedd ers pedwar degawd a mwy, ac eto gwn mai rhyw ddarlun anghyflawn, onid anghywir, sydd gan y rhan fwyaf o bobl ohonof. Bydd rhai yn fy ngweld fel rhyw fath o arwr (Duw a'n helpo!) ac eraill yn fy ngweld fel dihiryn eithafol a chul; rhai yn credu bod *folk singer* yn ddisgrifiad digonol ohonof, a llawer wrth gwrs – hyd yn oed yng Nghymru – yn meddwl dim o gwbwl.

Roedd y penderfyniad i gyflwyno'r lluniau yn y ddwy iaith yn hollol fwriadol, am fod rhywun yn dod yn fwyfwy ymwybodol o'r bwlch enfawr sydd rhwng y diwylliant Cymraeg a'r di-Gymraeg yng Nghymru. Ac rwy'n berffaith sicr fod yn rhaid i'r Cymry Cymraeg a'r di-Gymraeg fel ei gilydd, wneud mwy o ymdrech i gau'r bwlch. Ar un wedd, y bwlch hwn sydd wedi cadw'r Gymraeg yn fyw – am ei bod yn gallu sefyll ar ei thraed ei hun, yn annibynnol, a hynny'n ein galluogi i greu byd cyfan Cymraeg ar wahân. Ond mae'r cryfder yn gallu troi'n wendid, a bellach mae angen inni wrth gefnogaeth y di-Gymraeg – yn union fel y bu, ac y mae, yn hanes yr Ysgolion Cymraeg. Heb gefnogaeth frwd ac ymgyrchu di-flino rhieni di-Gymraeg, ni fyddai sefyllfa'r ysgolion hyn hanner mor llewyrchus.

Yn yr un modd, rhaid i ninnau'r rhai Cymraeg ein hiaith geisio deall yn well sut brofiad yw bod yn Gymry heb yr iaith – ac o wneud hynny, lwyddo'n well i'w denu i fyd yr iaith a'i diwylliant. Mi wn yn iawn nad yw hyn wrth fodd pawb, ond dyna a gredaf, ac mi lynaf wrth hynny. Mewn gwlad sydd, wedi'r cyfan, yn aml-ddiwylliannol, rhaid cloddio llai o ffosydd, codi llai o furiau, ac adeiladu mwy o bontydd.

Efallai y credwch fod hwn yn gyflwyniad braidd yn drwm i rywbeth sydd fawr mwy nag albwm o luniau, ond roeddwn am ei ddweud, felly dyma gyfle!

Diolchaf i Llion, ac i Bethan Mair o Wasg Gomer, am eu trylwyredd, ac i'r ffotograffwyr i gyd – yn amatur a phroffesiynol – am eu cyfraniadau.

Dafydd Iwan

INTRODUCTION

When I was looking for photographs to be included in my *autobiography Cân Dros Gymru*, it occurred to me that there were enough to make an interesting collection on their own. Having lived my life for 40 years or more to some extent in the public eye, I know better than most that one's public image is never the truth. I have been variously described as a hero and a villain, and both descriptions, thankfully, are incorrect, for I am neither. Recently, since I became President of Plaid Cymru, one Welsh national newspaper has taken to calling me a *folk singer*; never a businessman, never a voluntary Housing Association worker, never a lay-preacher, not even a language activist, or pacifist or anti-apartheid veteran, or even a lapsed architect. . . no, just a *folk singer*.

So just to fill in a few of the gaps, I asked Llion, my eldest son, to help me piece together a life in photographs, and this is the result. I decided to publish it in a bilingual format as this is not an attempt at any kind of literature, but merely a means of portraying a life which has been mostly lived through the Welsh language to those of my compatriots who do not speak the language. As I grow older, I become more and more aware that the gulf between the two cultures in Wales must be bridged. In one sense, the Welsh language's independence is its greatest strength; its ability to stand alone, supporting a culture which is proudly different, has to a great degree ensured its survival. But this strength can also be a weakness, and we who live our lives through Welsh, and in Welsh, need the support of all citizens of Wales if the language is to survive. This has already been true of the Welsh-medium schools campaign – its success so far would not have been possible without the support and enthusiasm of non-Welsh-speaking parents.

The gap must be bridged from both sides, and we who do speak Welsh must be ready to place ourselves in the position of our compatriots who do not have the language, so that we can better understand how we can make Welsh-medium activities more inclusive. In a multi-cultural society, we need to build fewer walls, dig fewer ditches, and build more bridges.

This is rather an ambitious introduction to what is after all merely a glorified album of photos, but it is something I felt I needed to say, and now I've said it!

I would like to thank Llion, and Bethan Mair from Gwasg Gomer, for their diligence, and to all those photographers, professional and amateur, who have contributed.

Dafydd Iwan

RHAGAIR

Mynnai hunanoldeb fy mhlentyndod fy mod eisiau treulio mwy o amser yng nghwmni fy nhad nag oedd yn bosib. Doedd hi ddim yn hawdd deall pam fod rhaid iddo fynd byth a hefyd i rywle arall i dreulio amser gyda phobl, a phlant, eraill – boed hynny i bwyllgora, annerch rali, canu mewn cyngerdd neu agor carnifal. Byddai oddi cartref am gyfnodau hir a dim ond yn fy arddegau hwyr y dechreuais i ddeall a gwir werthfawrogi cymaint o waith a wnâi mewn gwahanol feysydd. Byth ers hynny mae ei arweiniad wedi fy ysbrydoli ar fwy nag un achlysur.

Roedd palu trwy gannoedd o luniau dros y misoedd diwethaf yn arbennig o ddiddorol imi, wrth gael cwrdd eto ag aelodau o'r teulu a hen ffrindiau, a rhannu ambell daith i bedwar ban y byd. Dysgais dipyn ac roedd yn fodd i weld maint ei ddiddordebau a'i waith, ei amrywiol deithiau a hyd yn oed ambell fenter i fyd y theatr! Dros y blynyddoedd rydw i wedi dod i'w adnabod yn well ac erbyn heddiw rwy'n deall, ac yn edmygu gymaint o aberth ac ymdrech oedd rhoi ei amser prin i amrywiol achosion. Gobeithio y bydd lluniau'r gyfrol hon yn fodd i eraill ddod i'w adnabod ychydig yn well hefyd.

Dwi'n siŵr y bydd Elliw, Telor, Caio a Celt yn cytuno mor gefnogol y bu ar hyd y blynyddoedd fel tad. Wnaeth o fyth ein gwthio i wneud unrhyw beth, dim ond annog yn ei ddull unigryw ei hun gan roi, bron yn ddiarwybod inni, wybodaeth eang am amrywiol feysydd, a chariad a balchder at wlad, at deulu a chymuned. Dyma etifeddiaeth gyfoethog, gref fydd gyda ni am byth, diolch iddo fo. Ar ran y lleill, diolch am bopeth, Dad.

Llion Iwan, Mehefin 2005

PREFACE

As a child it was never easy for me to understand why my father had to spend so much time away from home. It was either a rally, singing in a concert or yet another council meeting. But in my late teenage years I began to truly understand and appreciate his contribution in so many different fields. I now know what this cost him.

Sorting through these photographs over the last few months has given me an opportunity once again to meet past family members, old friends and share a few journeys whilst getting to know my father some more. I hope this book will enable you to get to know him better too.

Speaking on behalf of Elliw, Telor, Caio and Celt, I'm sure they would agree that despite a hectic schedule he has always been there when we've needed him, quietly transferring knowledge and a rich, deep love for our country, people and family. Diolch, Dad.

Llion Iwan, June 2005

Ganwyd Dafydd Iwan yn Ysbyty Glanaman ar Awst 24, 1943. Roedd ei dad yn weinidog yn Gibea, Brynaman Uchaf, ar y ffin rhwng Sir Gaerfyrddin a Morgannwg. Dyma'r crwtyn ysgol yn Ysgol Gynradd Brynaman tua 1948.

Dafydd Iwan was the second of four sons born to the Rev. Gerallt Jones and Cis Jones; they lived in the coal-mining village of Brynaman on the Glamorgan – Carmarthenshire border, and this is Dafydd when he was about five years old.

© teulu Dafydd Iwan

Huw Ceredig a Dafydd cyn i Arthur ac Alun gyrraedd.

Huw and Dafydd in angel infancy.

Bwydo'r oen swci (yn ei glocs) yn Nantyfyda tua 1949; ar dir Nantyfyda yr oedd murddun Esgair Llyn a enwogwyd gan Dafydd ar y dôn 'The Fields of Athenry'.

Dafydd feeding an orphaned lamb on the farm where he spent all his childhood holidays near Aberhosan, Machynlleth.

Y Parchedig Gerallt Jones, tad Dafydd, yn weinidog ifanc ym Mrynaman.

Dafydd's father, the Rev. Gerallt Jones, as a minister in Brynaman, Carmarthenshire.

Mam Dafydd pan oedd yn athrawes ifanc.

Dafydd's mother, Elizabeth Jane (Cis), during her teaching days at Durham.

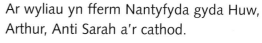

Ar wyliau yn fferm Nantyfyda gyda Huw, Arthur, Anti Sarah a'r cathod.

Holidays in the sun at Aberhosan with Huw, Arthur, Auntie Sarah and the cats.

Ei dad-cu ar ochr ei dad, y Parchedig Fred Jones: gweinidog, heddychwr a chenedlaetholwr, ac un o sylfaenwyr y Blaid.

The Rev. Fred Jones, his paternal grandfather, a pacifist and nationalist, and one of the founders of Plaid Cymru.

Teulu Garth Gwyn, Llanuwchllyn, tua 1959: o'r chwith, Cis, Alun Ffred, Huw Ceredig, Gerallt yng nghadair Eisteddfod Llanuwchllyn, Arthur Morus a Dafydd.

The 'Garth Gwyn' family pose for a family portrait around 1959, with Gerallt in his newly won eisteddfod chair.

Ei rieni gyda'u ffrindiau pennaf, Ifor a Winnie Owen, Llanuwchllyn yn y garafan fach lle treuliwyd sawl gwyliau difyr.

Travelling and holidaying in their caravan was one of his parents' chief delights in later years; here with friends Winnie and Ifor Owen.

Tad Dafydd, y Parchedig Gerallt Jones, a'i ddiaconiaid ym mhulpud capel Gibea, Brynaman yn y 1950au.

The Rev. Gerallt Jones made no secret of his support for Plaid Cymru, which did not go down well with most of his staunch Labour deacons at Gibea, Brynaman, pictured here during the mid 1950s.

Gyda'r swyddogion eraill o Wersyll yr Urdd ar draeth Llangrannog wedi ymarfer achub bywyd. Evan Isaac y Pennaeth yn plygu, Dafydd yn y canol, Iolo ab Eurfyl yn dangos ei fol a John Evans ar y chwith.

With the 'swogs' from the Urdd camp on Llangrannog beach after a bout of lifesaving training.

Meddai John Evans, a gyfrannodd y llun: 'Dyma'r cyfnod y sefydlodd yr Urdd dîm o achubwyr bywyd dan arweinydd gwersyll Llangrannog, Evan Isaac. Cynhaliwyd arddangosfeydd ar hyd yr arfordir gyda'r tîm yn teithio i'r pentrefi gwahanol – Cei Newydd, Aberaeron, Aberporth – gyda'r nos. Fel arfer byddai rhyw druan yn nofio allan, codi braich ac yna pawb ar ras wyllt i gyrraedd yn gyntaf i'w achub!'

Gweithiai Dafydd fel taniwr yng Ngwersyll yr Urdd, Glan-llyn, am sawl haf. Plicio tatws a gofalu am y tân yr oedd gan amlaf, ond daeth cyfle hefyd i ddechrau canu a diddanu.

During the early 60s, Dafydd worked as a kitchen hand at the Glan-llyn Urdd camp during the summer months, where he began his singing career.

Meddai Sue Nott, a dynnodd y llun: 'Roeddem yn barti o Ysgol Ramadeg Dinbych ac fe gawsom hwyl fawr yn hwylio, cerdded i'r Bala a gwersylla ar lan y llyn. Roedd Dafydd Iwan yn canu a chwarae gitâr yn y caban coffi gyda'r nos. Yn ystod yr wythnos arwyddais ddeiseb i gylchgrawn *Pais* yn erfyn arnynt i ysgrifennu erthygl am seren newydd Cymru. Roeddem yn llwyddiannus ac ar ddiwedd y darn roedd llun-gopi o'r ddeiseb yn dangos fy llofnod i!'

Photo by Sue Nott, who signed the petition to the magazine *Pais* signalling the birth of Dafydd Iwan the singing star in 1964, following his performances at Glan-llyn.

© *Mrs. Sue Nott, wythnos olaf Gorffennaf 1964.*

Yn ôl Llinos Evans: 'Gweithiai tair ohonom yn y gwersyll yn ystod gwyliau'r haf 1965 ar ôl gorffen coleg. Nid oedd llawer o gyfleusterau, heblaw'r trampolîn! Gweithiai'r staff a'r swyddogion yn galed i addysgu a diddori'r gwersyllwyr, a chafodd rhai fel Dafydd Iwan a Geraint Jarman gyfle i ddatblygu eu doniau hwy.'

A photo taken of Dafydd by a fellow 'swog', Llinos Evans, in 1965.

Llun gan © Mrs Llinos Evans, Cyfronydd, un o swogs y gwersyll.

© teulu Dafydd Iwan

Alun Ffred y gôl-geidwad gyda thîm pêl-droed Llanuwchllyn a enillodd Gwpan Pantyfedwen yn 1966. Ei brofiadau o'r cyfnod hwn oedd sail y gyfres gomedi *C'mon Midffild*.

Alun Ffred, now AM for Caernarfon, during his goal-keeping days with Llanuwchllyn FC in 1966, when they won the Pantyfedwen Cup, reputedly the largest football cup in the world!

Dydd Calan, 1969, a Dafydd gyda'i gyd-siaradwyr Gareth Miles a'r Dr R.Tudur Jones ar ddechrau'r ymgyrch beintio arwyddion yn y Wybrnant. Dyma ran o araith Dafydd: 'Wrth baratoi'n hunain ar gyfer y frwydr ar ddechrau blwyddyn newydd, y mae rhai pethau y dylem eu hystyried o ddifri fel aelodau o Gymdeithas yr Iaith . . . Er chwyrned y frwydr, ac y mae'n rhwym o ffyrnigo fwy-fwy o hyn ymlaen, rhaid inni ofalu rhag ymchwerwi, a rhaid gofalu na wnaiff casineb at iaith neu ddiwylliant neu genedl estron ddisodli ein cariad at y Gymraeg..."

January 1, 1969 saw the start of the road-sign painting campaign, after years of fruitless efforts to get Welsh officially recognised. At the rally, Dafydd is seen here with his co-speakers Gareth Miles and Dr R.Tudur Jones.

Un o'r lluniau ar gyfer clawr y record *Peintio'r byd yn wyrdd*, a dynnwyd gan Islwyn Jenkins, Caerdydd.

One of the unused photos taken for the record sleeve of the song which accompanied the bilingual road sign campaign of 1970.

Egwyl o'r ymgyrchu arwyddion yn y mans, Gwyddgrug, Pencader gydag Alun yn fachgen ysgol.

With Alun Ffred at the manse in Gwyddgrug during a lull in the road sign campaign.

© Geoff Charles

Yn 1971, penderfynodd Cyngor Sir Gaernarfon gau Ysgol Bryncroes ym Mhen Llŷn, ac aeth Cymdeithas yr Iaith i helpu'r rhieni yn eu hymgais i gadw'r ysgol ar agor. Codwyd y giat a glowyd gan yr Awdurdod oddi ar ei cholyn a'i chario oddi yno gan Dafydd, Ieuan Wyn (Bethesda) ac Emyr Llywelyn. 'Erbyn hyn', medd Dafydd, 'rwy'n brwydro i gadw ysgolion rhag cau oddi mewn i'r Cyngor, ond oherwydd y di-boblogi, cau fydd raid mewn rhai achosion, gwaetha'r modd.'

This famous photo shows Dafydd and other members of Cymdeithas yr Iaith removing the gate of Bryncroes school which had been closed by the Caernarfonshire Education Authority in 1971. 'Today,' says Dafydd, 'I'm having to fight to save schools from closing from inside the Council!.'

Parti sidêt yng Ngholeg y Nyrsus yn Llandaf tua 1966.

Entertaining at a party in the Nurses' College, Llandaf, *c.*1966.

Yn ystod haf 1968, cafodd Dafydd wahoddiad i agor garddwest er budd Plaid Cymru yng nghartref Dr a Mrs Hardy ym Mangor: 'Hwn oedd un o fy nhasgau "swyddogol" cyntaf fel dyn priod, a'r gŵr gwadd arall oedd Hywel Hughes, Bogota.'

One of his first "official" tasks as a married man in 1968 was singing at the opening of a summer fair at the home of Dr and Mrs Hardy in Bangor, where the other guest of honour was the colourful Hywel Hughes, of Bogota.

Cael ei dderbyn yn aelod o Orsedd y Beirdd yn Eisteddfod Genedlaethol Bangor 1971, ac ennyn gwg Dilwyn Miles, yr Arwyddfardd, am wisgo bathodyn Cymdeithas yr Iaith.

About to be made a member of the Gorsedd of Bards at the Bangor National Eisteddfod, 1971.

Dafydd Elis-Thomas, yr Aelod Seneddol ifanc a Dafydd gyda Richard Snelson yn annerch Pwyllgor Rhanbarth Plaid Cymru yn ngwesty'r Bull, Dinbych yn y 70au hwyr.

Dafydd with the young Meirion MP, Dafydd Elis-Thomas, at a Plaid Cymru meeting in the Bull Hotel, Dinbych in the late 70s.

Un o weithredoedd mwyaf dramatig yr ymgyrch yn erbyn tai haf oedd torri ar draws arwerthiant Jackson Stops and Staff yn yr hen Drill Hall yng Nghaernarfon, Gorffennaf 1972.

In July 1972, the campaign against the rapid increase in second homes was gathering momentum, and Dafydd led a protest which halted a house auction at Caernarfon.

Gydag Elliw Haf, Llion Tegai, Marion a Telor Hedd ym Mhenyberth, Waunfawr 1974.

At Waunfawr with Marion and the children in 1974.

Elliw Haf o flaen drws Penyberth,
Waunfawr, tua 1973.

Elliw in sunny Waunfawr in 1973.

21

Meddai Dafydd: 'Fi oedd Dafydd ap Gwilym a Huw Ceredig oedd y tafarnwr yn un o gynhyrchiadau cynharaf Cwmni Theatr Cymru, *Pan Ddêl Mai*.'

'My brother Huw and I in one of Cwmni Theatr Cymru's early productions before I decided I was no actor!'

Mwynhau cymryd arno'i fod yn ddiniwed yng nghwmni Menna Gwyn, Sue Roderick a Sharon Morgan.

He may not have been a great actor, but acting did have its moments!

23

Mam Dafydd gyda disgyblion yr ysgol feithrin gyntaf yng Ngwyddgrug, Pencader.

Having retired from teaching, Dafydd's mother started the Welsh nursery school at Gwyddgrug, Pencader.

Meddai Dafydd: 'Mis Awst oedd mis gwyliau pob gweinidog, ac yr oedd y Steddfod yn ddefod flynyddol – Y Babell Lên i Dad a'r Pafiliwn i Mam. Hwn yw fy hoff lun o'r ddau ar y Maes, wedi'i dynnu gan Jon Meirion, fy nghyfyrder.'

'Mam and Dad never missed the Eisteddfod, and this is my favourite photo of them taken on the Eisteddfod Maes by Jon Meirion, another member of the Cilie clan.'

© Arthur Morus

'Roedd Mam yn ei helfen ymhlith y blodau yng Nghastell Bach, Caerwedros.'

'When Dad retired from the ministry, he bought a thatched cottage in Caerwedros, near his beloved Cilie. When he was not writing, he tended the garden, and Mam spent her days amongst the flowers.'

Llion Tegai, Elliw Haf a Telor Hedd tua 1978.

© teulu Dafydd Iwan

'All's well, for over there
among his peers
A happy warrior sleeps'

Y geiriau o waith John Tydu,
un o fois y Cilie, a gerfiwyd
ar y bwa uwchben porth y
Siambr Goffa yn Senedd-dy
Canada, Ottawa.

Dafydd visiting the
Parliament Buildings in
Ottawa during his 1979
concert tour, reading the
words written by his great-
uncle John Tydu Jones,
carved above the entrance to
the Memorial Chamber.

27

Rhai o Bwyllgor Rheoli Cymdeithas Tai Gwynedd yn 1981 y tu allan i'r cwt pren ym Mhen-y-groes oedd yn swyddfa i Dafydd; o'r chwith, y diweddar Bob Roberts, Dr. Bruce Griffiths, John Gwynedd, Dafydd, Queenie Richards, Elwyn Gruffudd a'r diweddar Edwin Pritchard, Garn.

Members of the Management Committee of independent charitable housing association, Cymdeithas Tai Gwynedd, in 1981 when Dafydd was the organizer.

Yn 1979, yn fuan wedi siom fawr y refferendwm cyntaf ar ddatganoli, cynhaliodd Dafydd gyfres o gyngherddau yng Ngogledd America gyda Hefin Elis. Yng Nghanada, roedd yn westai ar un o brif sioeau teledu'r wlad, yn canu 'Pam fod eira yn wyn'.

Following the crushing defeat of the first devolution referendum, and the election of Margaret Thatcher as Prime Minister, Dafydd went on a concert tour of Universities and Welsh Societies in the USA and Canada. In Toronto, he appeared on a coast-to-coast TV show.

© Siân Thomas

29

Ym mis Medi 1980, wedi i Gwynfor gyhoeddi y byddai'n mynd ar streic newyn hyd farwolaeth os na chadwai'r Llywodraeth at ei haddewid ar sianel deledu Gymraeg, cafwyd rali genedlaethol yn Nghaerdydd, gyda Gwynfor yn brif siaradwr.

When the Government went back on its commitment to set up a Welsh language TV Channel in 1980, Dr Gwynfor Evans pledged to go on an indefinite hunger strike. He is seen here after addressing the huge rally held at the Sophia Gardens Pavilion in Cardiff in September, 1980.

Annerch y dorf yn Ngerddi Soffia, gyda Dafydd Êl a Dafydd Wigley.

Addressing the rally, next to Dafydd Elis-Thomas and Dafydd Wigley.

Canu'r Anthem, gydag Emrys Roberts, Ysgrifennydd Cyffredinol Plaid Cymru, wrth ei ysgwydd.

Singing the National Anthem, next to Emrys Roberts, General Secretary of Plaid Cymru.

Arwain yr orymdaith fawr drwy strydoedd y brifddinas ar y ffordd i'r rali ym Medi 1980: Dafydd, y Cynghorydd Ted Merriman, Gwynfor, Dafydd Elis-Thomas AS a Dafydd Wigley AS.

Leading the march on the way to the rally through the streets of Cardiff in September, 1980: Dafydd, Councillor Ted Merriman, Gwynfor, Dafydd Elis-Thomas MP and Dafydd Wigley MP.

Y tri Dafydd yn cymeradwyo araith Gwynfor yn y rali.

Applauding Gwynfor's speech at the Cardiff rally for a Welsh TV channel.

Arthur Morus, Dafydd, Alun Ffred a Huw Ceredig ym mhriodas Alun ac Alwen.

The four brothers at Alun and Alwen's wedding in 1981.

Canu'n ddigyfeiliant mewn noson ym Mryn Trillyn i lawnsio record gan Trebor Edwards tua 1981.

Singing *a cappella* in the highest pub in Wales, Bryn Trillyn on the Denbigh Moors, during an evening to launch one of Trebor Edwards' albums.

Yn 1982, daeth Ar Log, y grwp gwerin a fu'n lledaenu cerddoriaeth Cymru i bedwar ban byd, a Dafydd at ei gilydd ar gyfer taith fythgofiadwy, taith a arweiniodd at yr albwm *Rhwng Hwyl a Thaith*, ac a esgorodd ar y ddwy gân 'Cerddwn Ymlaen', ac 'Yma o Hyd', flwyddyn yn ddiweddarach. O'r chwith: Dafydd Roberts (Prif Weithredwr Cwmni Sain erbyn hyn), Dafydd Iwan, Gwyndaf Roberts, Geraint Glynne, Steffan Rees a Iolo Jones.

In 1982, Dafydd joined forces with Wales' leading folk group at the time, Ar Log, for a memorable concert tour of Wales. It was a great success, and was followed by another tour in 1983, and two albums, now available as the CD *Yma o Hyd*, probably Dafydd's best-known composition.

Canfasio'r ffermwyr ym Mart Bryncir adeg Etholiad Ewrop yn 1984.

As the Plaid Cymru candidate for North Wales in the 1984 European election, Dafydd meets the farmers at Bryncir market.

Lawnsio albwm Maffia Mr Huws drwy anfon copi i Ronald Reagan. Roedd Maffia yn rhan o draddodiad hir o gerddoriaeth roc yn ardal Bethesda, sy'n dal yn fyw ac iach yn Pesda Roc. Yn y llun gyda Dafydd, o'r chwith, mae Gwyn Jones (Stiwdio Bos, Llanerfyl erbyn hyn), ei frawd Siôn, y ddau wedi chwarae mewn sawl band o fri, Dafydd Rhys, Deiniol Morris, a Neil Williams (yr actor-ganwr).

Maffia Mr Huws was the best of many rock groups from the Bethesda area, a tradition which still lives on. (We may be forgiven for mentioning in passing that Dafydd Rhys has a less famous brother, Gruff, of the Super Furries, and Deiniol was largely responsible for the brilliant animated films, GOGS).

Tom Williams, Fflur Tomos, Dafydd ac Alwyn Ifans yn swyddfa Sain yn 1985, pan oedd cyfrifiadur yn dal i fod yn destun rhyfeddod (ac yn dipyn o benbleth o bryd i'w gilydd).

With Tom, the Sain rep, Fflur and Alwyn at Sain in 1985 when computers were still something of a mystery!

Canu mewn rali gwrth-apartheid yng Ngerddi Soffia, Caerdydd, Mehefin, 1986.

Dafydd singing at a Wales Anti-Apartheid Rally in Sophia Gardens, Cardiff, in June 1986.

© Marian Delyth

Annerch y dorf ar gychwyn deiseb arall am Ddeddf Iaith Newydd, Aberystwyth, Mai 1986 gyda Gwenllian Dafis, Toni Schiavone, Dafydd Lewis, a Llŷr Williams.

The rally to start a petition for a New Welsh Language Act at Aberystwyth in May, 1986, organized by Cymdeithas yr Iaith Gymraeg.

Dafydd o flaen llun Nelson Mandela yn rali Gwrth-Apartheid Caerdydd, 1986, gyda Hanif Bhamjee, trefnydd y rali, ar y dde.

Dafydd and the organiser of Wales Anti-Apartheid Hanif Bhamjee at a rally in Cardiff in 1986.

© Marian Delyth

Dafydd yn mwynhau ffraethineb y diweddar Tudwal Humphreys ar lwyfan Rali'r Blaid yn 1986 ym Mhwllheli i ddathlu 50 mlwyddiant llosgi'r Ysgol Fomio ym Mhenyberth.

Dafydd listening to the late Tudwal Humphreys reminiscing during the 1986 rally to celebrate the 50th Anniversary of the burning of the Penyberth bombing school.

Arwyddo copïau i'r siopwyr yn ystod taith hyrwyddo'r albwm *Gwinllan a Roddwyd* yn Siop Clwyd, Dinbych.

Signing copies of his best-selling patriotic album *Gwinllan a Roddwyd.*

Sgwrsio gyda Syr John Meurig Thomas pan oedd Dafydd yn ŵr gwadd yng nghinio Gŵyl Ddewi Cymdeithas y Mabinogi, Caergrawnt, 1990.

With Sir John Meurig Thomas when Dafydd was the guest speaker at the St. David's Day dinner, Cambridge University in 1990.

Gydag Euros Rhys a Gari Williams mewn cyngerdd yn y Kirby Center, Wilkes-Barre, adeg Cymanfa Gogledd America yn 1993.

September 2nd 1993, Dafydd sings at the Kirby Center, Wilkes-Barre, Pennsylvania during the North American National Gymanfa Ganu.

Yn ystod ymgyrch Etholiad Ewrop yn 1984, Dafydd yn mynd dros bolisïau'r Blaid gyda Dafydd Wigley AS.

© Gerallt Llewelyn

Dafydd checking his election notes with his local MP and mentor, Dafydd Wigley, during the 1984 European campaign.

Gobeithio'r gorau wedi gwario swm sylweddol ar ddesg newydd i brif stiwdio Sain!

The MD contemplating the future after spending a substantial sum of hard-earned money on a new recording console for Sain's main studio at Llandwrog.

Yr Aled Jones ifanc
yn agor Stiwdio 2
yng Nghanolfan
Sain yn 1987, gydag
O.P. Huws a'r prif
beiriannydd Bryn
Jones.

The young Aled
Jones opening Sain's
editing suite in
1987, with O.P.
Huws and chief
recording engineer
Bryn Jones.

Rai blynyddoedd yn ddiweddarach, cyflwyno
record aur i Aled am werthiant rhyfeddol ei
albwm *Ave Maria*.

Aled receiving his Gold Disc for his *Ave Maria*
album, many years later!

Croesawu Ffred Ffransis o garchar yn 1986 fel rhan o'r ymgyrch dros Addysg Gymraeg; yn y llun mae Ffred, Dr. Meredydd Evans a Dafydd Iwan.

Ffred Ffransis was imprisoned yet again in 1986 for his part in the campaign for Welsh-medium education; Dr. Meredydd Evans and Dafydd addressed his 'welcome home' meeting.

50

Protest a gig y Gymdeithas y tu allan i'r Cynulliad yn 2001 dros Ddeddf Iaith newydd.

Dafydd speaking in a protest gig by Cymdeithas yr Iaith outside the Assembly building in 2001 to call for a new Welsh Language Act.

I.B.Griffith yn 'bendithio' Dafydd ar yr union lechen yn Nghastell Caernarfon lle arwisgwyd Charles yn 1969!

I.B.Griffith, mayor of Caernarfon during the Investiture of Prince Charles in 1969, explaining what happened – on the very spot – many years later.

© Marian Delyth

"...mae'r llwybr o'n blaen yn glir,
Yn arwain at yfory Esgair Llyn".

Dafydd yn gweld y dyfodol ar lwyfan Gŵyl y Cnapan.

The Cnapan Festival at Ffostrasol grew during the 80s and 90s into Wales' biggest folk festival, and Dafydd provided the grand finale on the Saturday night.

Yng nghwmni dwy Gymraes frodorol yng Nghymanfa Wilkes-Barre, Pennsylvania yn 1993!

Flanked by two patriotic natives of Pennsylvania at the 1993 North American Gymanfa!

Meic Stevens yn derbyn ei ddisg arian am ei gyfraniad enfawr i gerddoriaeth Cymru yn dilyn ei gyngerdd bythgofiadwy yn Eisteddfod Genedlaethol Tyddewi, 2002. Cynhaliwyd y noson ym mhentref genedigol Meic, Solfach.

Meic Stevens was awarded a silver disc for his unequalled contribution to Welsh music and songwriting in his native Solva during the 2002 National Eisteddfod.

Bron Wylfa,
Llanunda
24-11-94

Annwyl Dafydd,
Pa hwyl sydd!
'Roen i ar fy ngngylian yn
Rio de Janeiro or wytturos
diwytha, ac won in meddwl
y bydde gan ti ddiddordeb
yn be welson ni ar y teledu
rhyw noson! Brasil oedd y
lle saf fyddwn iin disgwyl
clywed nyrbeth am Gymru,
— and da oedd jweld
efengyl Cymroeictod yn cael
ei lledaenu! Cofion,
Dyma gopi i ti,
Angharad

Llythyr yr awdures Angharad Tomos i Dafydd yn amgau llun oddi ar deledu Brasil.
Medd Dafydd: 'Cofiaf Angharad yn ferch ysgol ym Mhen-y-groes, ac efallai fod peth bai arna'i ei bod wedi treulio rhan helaethaf ei hoes yn ymgyrchu mewn llysoedd a charchar. Dros y blynyddoedd, derbyniais ambell lythyr ganddi, rhai'n diolch, rhai'n annog, a rhai'n dweud y drefn yn go arw. Roedd hwn yn un o'r llythyrau hawdd ei dderbyn!'

Angharad Tomos, one of the best contemporary Welsh language writers, sent a letter to Dafydd after seeing him singing on a Brazilian TV channel…

Y llun o set deledu Rio de Janeiro.

Angharad's photo from Brazil.

© teulu Dafydd Iwan

Y tri brawd gyda'u gwragedd, y ddiweddar Alwen Jones, Margaret Ceredig a Bethan.

The three brothers with their wives, the late Alwen Jones, Margaret Ceredig and Bethan.

Y tad newydd yn gafael am Caio am y tro cyntaf ym Mehefin 1991.

A father once more – nursing Caio for the first time in June, 1991.

Caio'n croesawu Celt yn ôl o'r ysbyty yn 1994, wedi gwaeledd difrifol.

When he was 18 months old, Celt was struck by a life-threatening illness; Caio is seen here giving him a warm welcome home from hospital.

Diwrnod bedyddio Caio Llŷn yng Ngarn Fadryn, a Taid yn y cefn tu ôl i Anti Leri.

Outside Garn Fadryn chapel, after christening Caio Llŷn.

Caio'n penderfynu gwrthod y cyfle i gael gyrfa fel canwr ar faes y Steddfod.

Caio Llŷn the reluctant entertainer!

Caio a Celt ger Pen-llyn, Llanberis tua 1995.

One of my favourite photos by Glyn Davies ©

Dafydd a D.J. Williams yn gwylio Waldo mewn cyfarfod coffa yng Nghilmeri.

Remembering the death, in 1282, of Llywelyn ap Gruffydd, the last Prince of Wales at Cilmeri with Waldo Williams and D.J. Williams.

Gyda'r diweddar Macsen yng Ngharrog ar ddiwrnod gorffwys.

Having a quiet word with Macsen, the golden retriever.

Caio a'i lygaid ar Man U!

Caio learning his first footballing skills.

Caio Llŷn y peldroediwr ac un o'i gwpanau cyntaf gyda thîm Bontnewydd.

Caio with the cup he won with Bontnewydd under-13s football team.

Lawnsio cynllun adloniant Cymraeg i ymwelwyr gyda Phrif Weithredwr Twristiaeth y Canolbarth a Tony Lewis, Cadeirydd y Bwrdd Croeso, yn y Palé, 1997.

During the launch of a pioneering project to provide Welsh entertainment for visitors to Wales, with the Chief Exec. of Tourism Mid-Wales and Tony Lewis, Chair of the Wales Tourist Board.

Cyngerdd olaf Dafydd yng Nghastell Caernarfon, gyda'r Band a Chôr Rhuthun yn gefndir, Awst 30, 1998.

Performing with the Band and Côr Rhuthun on a stage erected within the walls of Caernarfon Castle, 1998.

Y Cynghorydd Dafydd Iwan yn ôl ym myd yr arwyddion ffyrdd gyda'r arwydd 'brown' cyntaf yng Ngwynedd yn 1999.

Councillor Iwan back amongst the road-signs – but this time putting them up! Launching the new series of 'brown' signs in Gwynedd in 1999.

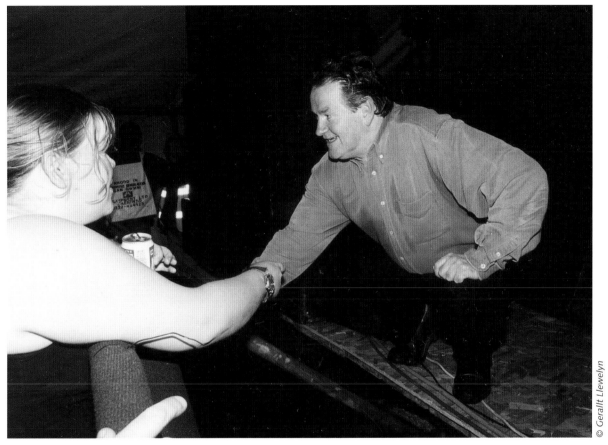

Un o'r gynulleidfa yn diolch i'r canwr ar derfyn un o'r perfformiadau olaf gyda'r Band yng ngŵyl Miri Madog, 2000.

A handshake from a young fan after Dafydd's last appearance at Miri Madog festival, 2000.

Caio a Celt gyda'u hewyrth Glyn a fu farw'n sydyn ym mis Tachwedd 2003.

Caio and Celt with their Uncle Glyn, who died suddenly in November 2003.

Gyda Bryn Terfel ar ddiwrnod recordio fideo Hafan Gobaith ar gyfer S4C yn Stiwdio Sain, mis Mai 2003.

Bryn Terfel and Dafydd during the recording of the S4C charity version of Hafan Gobaith, May 2003.

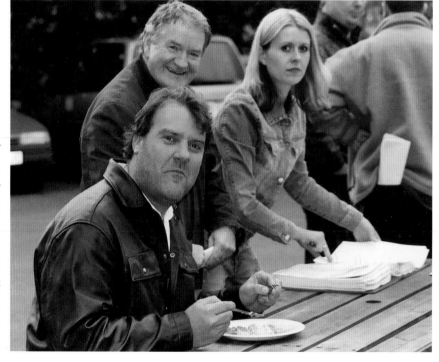

Gyda Barbara Martin, Cymraes fabwysiedig, yn New Orleans adeg Gŵyl Geltaidd Louisiana.

With Barbara Martin, an adopted Welshwoman, in New Orleans during the Louisiana Celtic Festival.

'Cyfarfod D.J. Williams, un o fy arwyr, tu allan i Lys Aberteifi.'

'Meeting one of my heroes, D.J. Williams, another founder of Plaid Cymru.'

67

Gyda'r Is-Ganghellor Roy Evans a'r cricedwr Matthew Maynard pan dderbyniwyd Dafydd yn Gymrawd er anrhydedd ym Mhrifysgol Cymru, Bangor, Gorffennaf 14, 1998.

Dafydd was made an honorary Fellow of University of Wales, Bangor on the same day as Glamorgan batsman Matthew Maynard, here pictured with Vice-Chancellor Roy Evans in 1998.

Dafydd, Charli Britton, Dylan Herbert a Gari Williams o flaen car y Sheriff yn New Orleans cyn canu yng Ngŵyl Geltaidd Louisiana.

Posing with members of the band in front of the sheriff's car in New Orleans during the Louisiana Celtic Festival.

Yn ystod ei ymweliad ag Ethiopia i weld rhaglenni Cymorth Cristnogol a *Water Aid*, cafodd Dafydd groeso gan filwyr cyfeillgar un o lwythi crwydrol olaf y wlad, y mae eu ffordd o fyw dan fygythiad.

During the making of a film on Christian Aid and Water Aid projects in Ethiopia, Dafydd was welcomed by soldiers from one of the last nomadic tribes whose way of life is threatened with extinction.

Gwers gitâr i ddau o blant gwersyll i ffoaduriaid o Bosnia yn Slofenia pan oedd Dafydd yn llysgennad i UNICEF yn 1995.

An impromptu guitar lesson for two young refugees from Bosnia in a refugee camp in Slovenia which Dafydd visited as UNICEF ambassador in 1995.

Dafydd gyda'r fytholwyrdd Heather Jones a'r bythol-wallgo Dewi Pws yn noson Meic yn Solfach, Awst 2002.

With the ever-young singer Heather Jones and the ever-manic Dewi Pws in the party honouring Meic in Solva, August, 2002.

© Gareth Richards

Lyn Jones, hyfforddwr tîm rygbi Gweilch Tawe Nedd, yn croesawu Dafydd i noson yng Nghastell-nedd er budd Eisteddfod yr Urdd 2003.

Lyn Jones, Coach of the Swansea Neath Ospreys greets Dafydd as the guest artist at a function to raise funds for the 2003 Urdd Eisteddfod at Neath Rugby Club.

Y Cynghorydd Janice Dudley, Castell-nedd, trefnydd y noson, yn cyflwyno llun o waith David Carpanini i Dafydd.

Councillor Janice Dudley, Neath, presenting Dafydd with a painting by David Carpanini based on Huw Chiswell's song 'Y Cwm'.

© Gareth Richards

73

© Alwynne Jones

Canu 'Yma o Hyd' yn Stadiwm y Mileniwm cyn gêm Cymru yn erbyn Serbia-Montenegro yn Hydref 2003, gyda John Hartson yn gwrando'n astud!

Dafydd singing to the crowd at the Millennium Stadium before the Wales Serbia-Montenegro match in October 2003.

© Berwyn Roberts

Hydref 31, 2003: Pen-blwydd Gaenor Roberts, Tynffridd, Penrhyn yn 100 oed.

Dafydd making a surprise visit to Gaenor Roberts, Penrhyndeudraeth on her 100th birthday.

Ar set deledu'r rhaglen lle'r oedd Ray Gravell yn cyfarch ei ffrindiau agosaf: o'r chwith, Dafydd, Delme Thomas, Derek Quinnell, Ray a Caryl Parry Jones.

Ray Gravell welcomes some of his best friends to a Christmas party: Dafydd, Delme Thomas, Derek Quinnell, and Caryl Parry Jones.

© Gerallt Llewelyn

Dod wyneb yn wyneb â'i gyd-Gynghorydd Owain Williams yn ystod protest y Cyfrifiad y tu allan i siambr Cyngor Gwynedd. 'Yn y pen draw mae Owain a minnau'n trio cyrraedd yr un lle – dwi'n meddwl!'

Dafydd meets his fellow councillor, Owain Williams, during a protest about the 2001 Census outside the Council Chamber in Caernarfon.

Dafydd yn annerch y dorf yn rali Plaid Cymru ym Machynlleth i gofnodi 600 mlwyddiant Senedd Owain Glyndŵr, ym mis Chwefror 2004.

Dafydd addressing the Plaid Cymru rally at Machynlleth commemorating the 600th anniversary of Owain Glyndŵr's Welsh Parliament of 1404.

Arwain yr Anthem ger Senedd-dy Machynlleth ym mis Chwefror 2004, gyda Leanne Wood AC.

Leading the Anthem with Leanne Wood, AM, at the Machynlleth Parliament house, February 2004.

Dafydd mewn hwyl yng Ngŵyl y Faenol, 2004.

Dafydd in the mood at Bryn Terfel's Faenol Festival, 2004.

Diweddglo cyngerdd Tân y Ddraig yng Ngŵyl y Faenol, 2004; Dafydd yn arwain 'Yma o Hyd', gydag Elin Fflur a Bryn Terfel ar y dde.

The finale of Bryn Terfel's 2004 Faenol Festival, with Dafydd leading 'Yma o Hyd' and Elin Fflur and Bryn Terfel on the right.

Estyn llaw i gymodi gyda gwraig o Gaernarfon a wrthwynebai'r rali yn erbyn Rhyfel
Afghanistan, Rhagfyr 2002. Gwrthod wnaeth hi!

At a peace rally in Caernarfon before the attack on Afghanistan, Dafydd offers a hand in
friendship to a heckler.

Dafydd a Bethan ar ben Tre'r Ceiri.

Bethan and Dafydd hill-walking at Tre'r Ceiri.

Gyda'r meibion y tu allan i Stadiwm y Mileniwm yng Nghaerdydd.

With Llion, Telor, Caio and Celt near the Millennium Stadium.

© teulu Dafydd Iwan

Dafydd, Bethan, Caio a Celt.

Yn Lanzarote ar wythnos o wyliau.

On a family holiday in Lanzarote.

Cyflwyno record aur i Bryn Terfel dan gysgod Tŵr yr Eryr yng Nghastell Caernarfon.

Presenting Bryn Terfel with his first Sain Gold Disc in Caernarfon castle.

© Gerallt Llewelyn

83

Yn Llanelli gyda Bethan, Jo (gwraig Telor) a'r plant i gyd ar ôl recordio rhaglen *Yma Mae Nghân* i ddathlu pen-blwydd Dafydd yn 60.

The five children, Bethan and Jo (Dafydd's daughter-in-law) after the television concert celebrating Dafydd's 60th birthday in 2003.

Araith y Llywydd yng Nghynhadledd Wanwyn Plaid Cymru, Galeri, Caernarfon, Chwefror 19, 2005.

The President's address at Plaid Cymru's Spring Conference, Galeri, Caernarfon in February 2005.

DIOLCHIADAU

Hoffwn ddiolch i'r ffotograffwyr Gerallt Llewelyn a Marian Delyth am fod mor barod i chwilio trwy eu harchif a chaniatáu imi ddefnyddio eu lluniau. Hefyd i Raymond Daniel, Glyn Davies a Jon Meirion Jones; buasai'r gyfrol llawer tlotach onibai am eu cyfraniad nhw.

Rwyf hefyd am ddiolch i'r unigolion a gyfrannodd luniau o'u casgliadau personol sef Berwyn Tomos, John Evans, Gareth Richards, Sue Nott, Gwyneth, Llinos Evans, Siân Thomas, Angharad Tomos ac Alwynne Jones. Diolch yn fawr ichi am fod yn barod i fenthyg eich lluniau.

Dyma gyfle hefyd i gydnabod caniatâd Llyfrgell Genedlaethol Cymru i ddefnyddio rhai o'u ffotograffau hwy.

Ac ni fuasai'r gyfrol byth wedi dod i ben onibai am gymorth parod Bethan Mair o Wasg Gomer; diolch iddi am ei gwaith a'i hanogaeth gyson wrth roi siâp ar y gyfrol hon.

Llion Iwan